Bhí crann mór éabainn ag fás i gceartlár bhaile Tombakonda.
Bhí aois mhór ag an gcrann seo agus bhí sé chomh crua
agus nach bhféadfaí poll a chur ann. Níor éirigh le haon
duine saighead a chur sa chrann riamh.

Bhí cailín álainn óg ina cónaí ar an mbaile céanna agus
thagadh fir as na seacht gcearn á hiarraidh le pósadh.

Bhí a fhios ag an athair go gcaithfeadh sé an fear ceart a
roghnú di. Bhí sí chomh hálainn sin go dteastódh fear láidir
lena cosaint, dar leis.

Má bhí an iníon álainn, bhí sí stuama chomh maith. D'éist sí lena hathair agus é ag míniú an scéil di. Nuair a bhí deireadh ráite aige ar sise: 'Ní leor d'fhear a bheith láidir má tá lánúin le bheith sona séanmhar.'

Nuair a chonaic an cailín go raibh amhras ar a hathair, dúirt sí:
'A athair, cuir amach an scéal go bpósfaidh mé an fear a bheidh in
ann saighead a chur sa chrann éabainn.'

'An-smaoineamh!' a dúirt an t-athair. 'An fear a dhéanfadh sin, is cinnte go mbeadh sé láidir.'

Rinne an cailín meangadh beag gáire agus dúirt léi féin: 'Ní hamháin go mbeadh sé láidir. Fear speisialta a bheadh ann.'

Scaipeadh an scéal ar fud na tíre.

Tháinig na fir ina scórtha, agus iad go léir ag iarraidh gaisce a dhéanamh. Bhí gach uile chineál bogha acu – cuid acu trom, cuid acu éadrom – ach ní raibh maith ann. Briseadh na saigheada go léir ar an gcrann. Ach níor thúisce fear amháin imithe agus díomá air ná fear eile tagtha agus é lán de dhóchas go n-éireodh leis féin.

Lá breá amháin tháinig sealgaire ard scafánta
go Tombakonda. Sheas sé ag an tobar mar bhí sé
spalptha leis an tart. Cé a bhí ansin roimhe agus í
ag tarraingt uisce ach an cailín álainn óg.

Rinne sí meangadh beag leis agus shín chuige
crúsca uisce. Níor thairg sí deoch do strainséir riamh
cheana. Bhreathnaigh an sealgaire idir an dá shúil
uirthi agus d'ól sé an t-uisce fuar. Nuair a bhí a
sháith ólta aige, bhí a fhios aige gurbh í sin
an cailín ba mhaith leis pósadh.

D'imigh an cailín óg léi. Dúirt an sealgaire le duine de bhuachaillí na háite:

'Sin í an bhean a phósfaidh mé! Cé leis í nó cá bhfuil a hathair?'

Rinne an buachaill gáire agus shín sé méar i dtreo an chrainn éabainn.

'A dhuine chóir, ní call duit í a iarraidh ar a hathair. Níl le déanamh agat ach saighead a chur sa chrann éabainn úd thall. Ach sin rud nár éirigh le haon duine a dhéanamh go dtí seo.'

Anonn leis an sealgaire chuig an gcrann agus bhreathnaigh sé go grinn é.

'Ní ghabhfaidh saighead isteach sa chrann sin,' a dúirt sé leis féin, 'ach múineann gá seift.'

D'imigh sé leis ar thóir a charad, an cnagaire. Bhí a fhios ag an sealgaire go bhféadfadh sé brath ar an gcnagaire. Nárbh é féin a thug an cnagaire slán ón seabhac blianta beaga roimhe sin?

Chuala sé an cnagadh sna crainn os a chionn agus labhair sé in ard a ghutha.

'A chnagaire,' a dúirt sé, 'tá gnó agam díot. An ndéanfaidh tú gar dom?'

'Céard a fhéadfaidh mé a dhéanamh?' a d'fhiafraigh an cnagaire de.

Thuirling an cnagaire ar an ngéag ab ísle agus mhínigh an sealgaire a sheift dó. Nuair a bhí a chuid ráite ag an sealgaire, dúirt an cnagaire go rachadh sé chomh fada le baile Tombakonda leis.

Bhí muintir an
bhaile ina
sámhchodladh
faoi sholas geal
na gealaí nuair a rinne an cnagaire
poll mór domhain sa chrann éabainn.

'Nár laga Dia thú, a chara na gcarad!' arsa an sealgaire leis. D'eitil an cnagaire leis faoi sholas na gealaí ag déanamh caol díreach ar a chrann féin arís.

Siúd leis an sealgaire ansin ar thóir an damháin alla. Ba chara mór leis an damhán alla freisin. Idir dhá chrann, ag sníomh leis ar a dhícheall, a bhí an damhán alla nuair a tháinig an sealgaire air.

'A dhamháin alla, tá gnó agam díot. An ndéanfaidh tú gar dom?'

Mhínigh an sealgaire an tseift dó. Gheall an damhán alla go gclúdódh sé an poll sa chrann éabainn le téada míne síoda.

'Ní bheidh a fhios ag aon duine go bhfuil poll sa chrann nuair a bheidh mise réidh leis,' a dúirt sé leis an sealgaire.

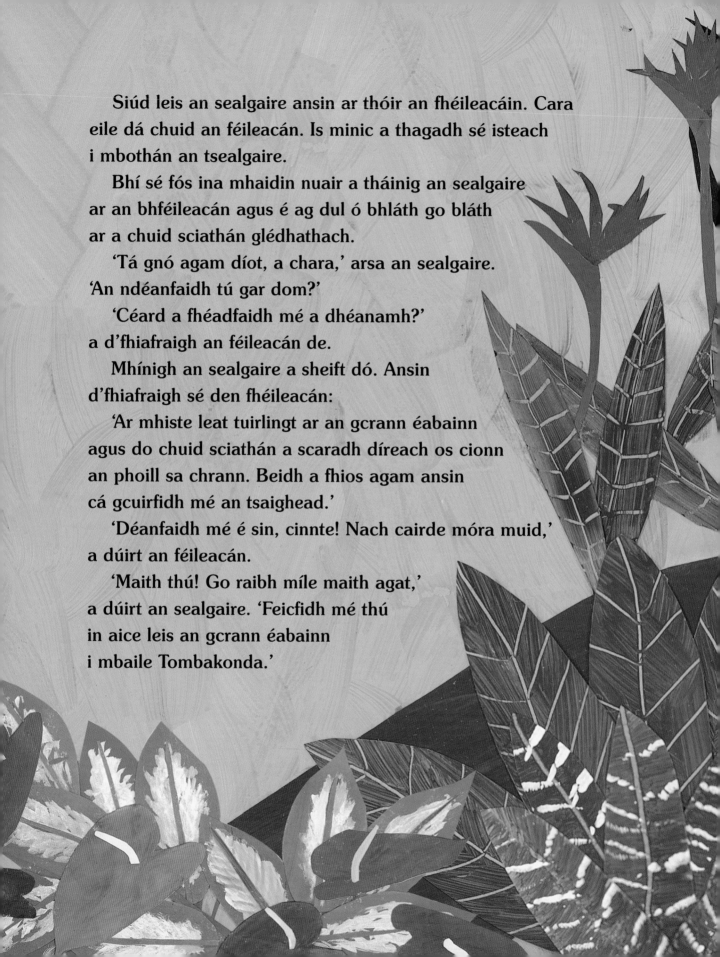

Siúd leis an sealgaire ansin ar thóir an fhéileacáin. Cara
eile dá chuid an féileacán. Is minic a thagadh sé isteach
i mbothán an tsealgaire.

Bhí sé fós ina mhaidin nuair a tháinig an sealgaire
ar an bhféileacán agus é ag dul ó bhláth go bláth
ar a chuid sciathán glédhathach.

'Tá gnó agam díot, a chara,' arsa an sealgaire.
'An ndéanfaidh tú gar dom?'

'Céard a fhéadfaidh mé a dhéanamh?'
a d'fhiafraigh an féileacán de.

Mhínigh an sealgaire a sheift dó. Ansin
d'fhiafraigh sé den fhéileacán:

'Ar mhiste leat tuirlingt ar an gcrann éabainn
agus do chuid sciathán a scaradh díreach os cionn
an phoill sa chrann. Beidh a fhios agam ansin
cá gcuirfidh mé an tsaighead.'

'Déanfaidh mé é sin, cinnte! Nach cairde móra muid,'
a dúirt an féileacán.

'Maith thú! Go raibh míle maith agat,'
a dúirt an sealgaire. 'Feicfidh mé thú
in aice leis an gcrann éabainn
i mbaile Tombakonda.'

Isteach sa bhothán leis an sealgaire. Nuair a tháinig sé amach bhí bogha breá ar a dhroim agus bolg saighead ar a ghualainn.

Nuair a tháinig sé chomh fada le Tombakonda, bhí na sluaite ann roimhe go bhfeicfidís ag déanamh gaisce é. Bhí an cailín álainn óg agus a hathair ann roimhe freisin.

Sheas an sealgaire fiche
coiscéim siar ón gcrann. Chuir
sé saighead ina bhogha go mall
tomhaiste. Tharraing sé siar
ansin í, a oiread agus a d'fhéad
sé, agus dhírigh sé ar an spota
a bhí díreach faoi bhun
sciatháin an fhéileacáin.

Caol díreach tríd an aer a
chuaigh an tsaighead agus
lonnaigh sí sa chrann éabainn.
Bhí iontas an tsaoil mhóir ar
mhuintir an bhaile agus thosaigh
siad ag cantaireacht le chéile:
    'Is é an sealgaire a rinne an
beart!
    Is é an sealgaire a rinne an
beart!
    Chuir sé saighead sa chrann,
Is é an sealgaire an fear ceart!'
    Rinne an cailín álainn óg
meangadh gáire. Chroch a
hathair a chuid lámh san aer
agus d'fhógair go lúcháireach in
ard a ghutha, ionas go gcloisfí
i gcéin is i gcóngar é:
    'Sa deireadh thiar thall, tá
fear céile ag m'iníon atá chomh
maith léi féin!'

Nuair a bhí an ceiliúradh faoi lánseol rinne an sealgaire meangadh leis an gcailín álainn óg. Dúirt sé:
'A ghrá geal mo chroí, níl fadhb nach féidir a réiteach ach seift mhaith a bheith agat, agus cairde dílse!'

Anseo atá cónaí ar na Zarmaigh

Mailí

Abhainn na Nígire

An Nígir

Beinin

FOCAL ÓN ÚDAR

Leagan é *An Sealgaire agus an Crann Éabainn* de scéal a chuala mé tráth a bhí mé i mo chónaí in iarthar na hAfraice, i bPoblacht na Nígire. Seanchaí, nó *griot* mar a thugann a muintir féin uirthi, a d'inis an scéal sa Zarmais, teanga na Zarmach. Thaifead mé an scéal agus d'aistrigh cara liom ó Zarmais go Fraincis ina dhiaidh sin é.

Suas leis an gceathrú cuid de phobal na Nígire is Zarmaigh iad agus tá baint mhór acu le rialú na tíre. In iarthar na Nígire a chónaíonn siad, ar bhruach Abhainn na Nígire, agus i Mailí agus i mBeinin, dhá thír atá buailte ar an Nígir. Bhí cáil ar na Zarmaigh tráth den saol mar laochra fíochmhara. Is feirmeoirí go leor díobh sa lá atá inniu ann. Saothraíonn siad muiléad, sorgam, arbhar agus piseanna talún i dtailte tirime an Sahel, áit a mbíonn an teocht os cionn 43°C (110°F) formhór na bliana. Cuid de mhórghrúpa eitneach san Afraic Thiar, ar a dtugtar na Songaigh, iad an pobal Zarmach. Canúint de theanga na Songach í an Zarmais. Tá breis agus 90% de na Zarmaigh gan léamh ná scríobh acu, agus sin é an fáth a bhfuil fíorthábhacht ag baint leis na *griot* (caomhnóirí na sean-fhocal) sa chultúr. Tá sean-nath sa Zarmais, 'An té a chloiseann dea-chaint, caithfidh sé í a rá athuair'.

Nelda LaTeef